Misia Marysia bawi się z chomikiem Gryzkiem w ogrodzie, gdy z domu wychodzą rodzice z braciszkiem misi.

– Hej, hej! Wsiadajcie do samochodu! – woła tato.

– Jedziemy wszyscy na zakupy do supermarketu – wyjaśnia mama.

– Hura! – cieszą się Marysia i Gryzek.

Duże zakupy w dużym sklepie oznaczają, że dużo może się zdarzyć.

krzak

Cieszy się.

dom

SUPER B

Tato Koala parkuje samochód, a mama z córeczką i chomikiem idą po sklepowy wózek. Marysia i Gryzek mają wielką ochotę jak za dawnych czasów wskoczyć do wózka i wozić się w nim po sklepie.

– To miejsce dla małych dzieci i zajmie je braciszek, Marysiu – tłumaczy cierpliwie mama.

Dziewczynka i chomik fukają jednogłośnie i oboje są identycznie nadąsani.

Ominęła ich taka atrakcja!

samochód

wózek sklepowy

nadąsana

MINI GATEAU
MINI GATEAU
PETIT BEURRE
PETIT BEURRE
lait
demi-écrémé

Misia szybko wpada na nowy pomysł. Jest za duża, żeby wejść do wózka, ale może się go uczepić.

– Prędzej, gazu! – pogania mamę. Sklepowa alejka kusi, żeby się rozpędzić.

– Marysiu, nie jesteśmy w wesołym miasteczku – upomina ją tato. – Pójdziemy w rozsądnym tempie i spokojnie zrobimy zakupy.

– I będziemy uważać, żeby nikogo nie potrącić ani o nic nie zahaczyć – dodaje mama.

uczepiona

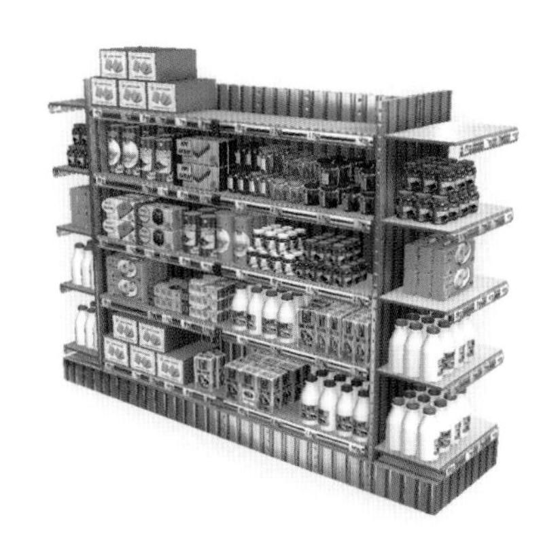

regał sklepowy

mleko

GÂTEAUX
lait
demi-écrémé
CHOCO
BONBON
bonbons

PETITS
GÂTEAUX
lait
demi-écrémé
SUPERBON
bonbons
MINI
GATEAU
Sucre
CHOCOLAT
AU LAIT
CHOCO

Phi! Skoro mama i tato chcą sunąć powoli jak ślimaki, Marysia i Gryzek wcale nie muszą się ich trzymać. Misia i chomik korzystają z nieuwagi rodziców i odłączają się od nich niepostrzeżenie. Bawią się teraz w chowanego między regałami. Raz po raz słychać ich wesołe nawoływania.

– Kupisz mi czekoladę, mamusiu? – pyta dziewczynka, wypadając nagle z bocznej alejki.

– A ja poproszę o cukierki – dopomina się Gryzek, taszcząc w łapkach dwa duże opakowania słodyczy.

Mamie wcale się to nie podoba.

mąka

czekolada

cukierki

CHOCO
MINI GATEAU
Sucre
SUPERBON bonbons
1kg
4,50
3,10
2,00
4,55
2,50
7.00
3.90

– Jeszcze ciasteczka! – woła dziewczynka i dokłada do wózka sporą paczkę.

– I krem czekoladowy! – sapie chomik.

– Dość! – stwierdza stanowczo tato.

– Nie kupujemy więcej słodyczy – oznajmia mama i każe córeczce odnieść ciasteczka tam, skąd je wzięła.

Gryzek też musi odłożyć słoik z powrotem na półkę. Jaka szkoda!

rzodkiewka

ciastka

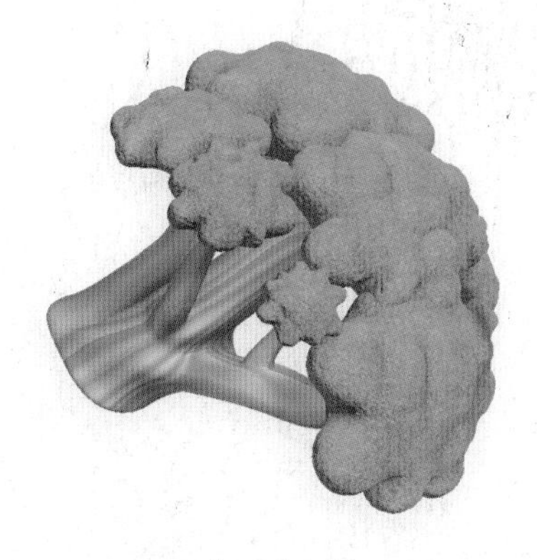

brokuł

32€00
11€50
19€00
11€50
24€05
32€00

19€50

Supermarket jest ogromny, oprócz artykułów spożywczych ma także wiele innych interesujących działów. A co może być bardziej interesującego niż zabawki? Misia Marysia i Gryzek postanawiają cichaczem oddalić się od rodziców i zwiedzić alejkę z zabawkami. Chcą w tajemnicy kupić niespodziankę dla małego braciszka. Wkrótce są przecież jego urodziny. Może spodoba mu się bębenek? Albo samochodzik? Dziewczynka i chomik długo rozglądają się po półkach. A potem… Ojej!

– Chyba się zgubiliśmy – chlipie przestraszony Gryzek.

braciszek

prezent

przestraszony

BIURO
OBSŁUGI
KLIENTA

Marysia i Gryzek długo błąkają się po wielkim sklepie, a tymczasem rodzice szukają ich i szukają. W końcu misię i chomika znajduje miła pani z obsługi.

– Ach, tu jesteście! – wołają z ulgą mama i tato na widok swoich zgub.

Zaniepokojeni przyszli do biura obsługi, żeby zgłosić zaginięcie dziecka. Ale dziewczynka i jej przyjaciel wcale nie wyglądają na nieszczęśliwych. Każde z nich trzyma w ręce dużego lizaka!

– Opłacało się zgubić – mruczy pod nosem Gryzek.

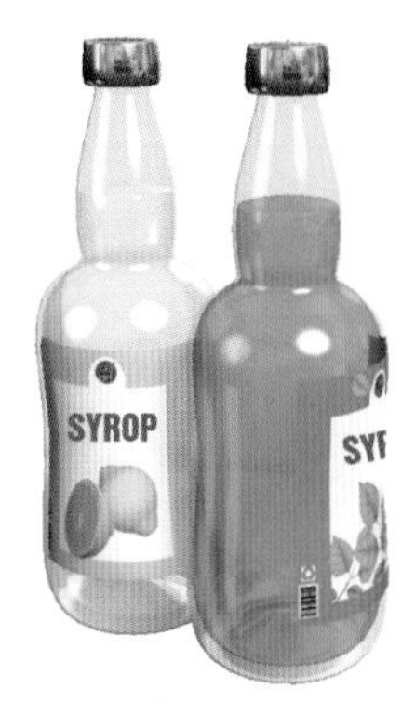

syropy

biuro obsługi

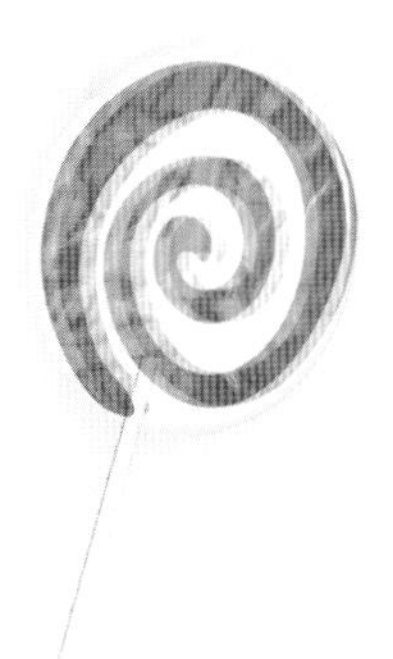

lizak

OBSŁUGI
KLIENTA

Misia i chomik muszą jednak przyznać, że najedli się strachu, kiedy nie umieli trafić z powrotem do mamy i taty. Oboje na długo zapamiętają przygodę w supermarkecie. Na wszelki wypadek obiecują nie oddalać się nigdy bez wiedzy rodziców. Nie odstępują ich teraz na krok i grzecznie trzymają się blisko wózka.

Wreszcie wózek jest pełny, a mały braciszek – głodny. Pora wracać do domu. Rodzice kierują się z zakupami do kasy.

papier toaletowy

kasa

wózek z zakupami

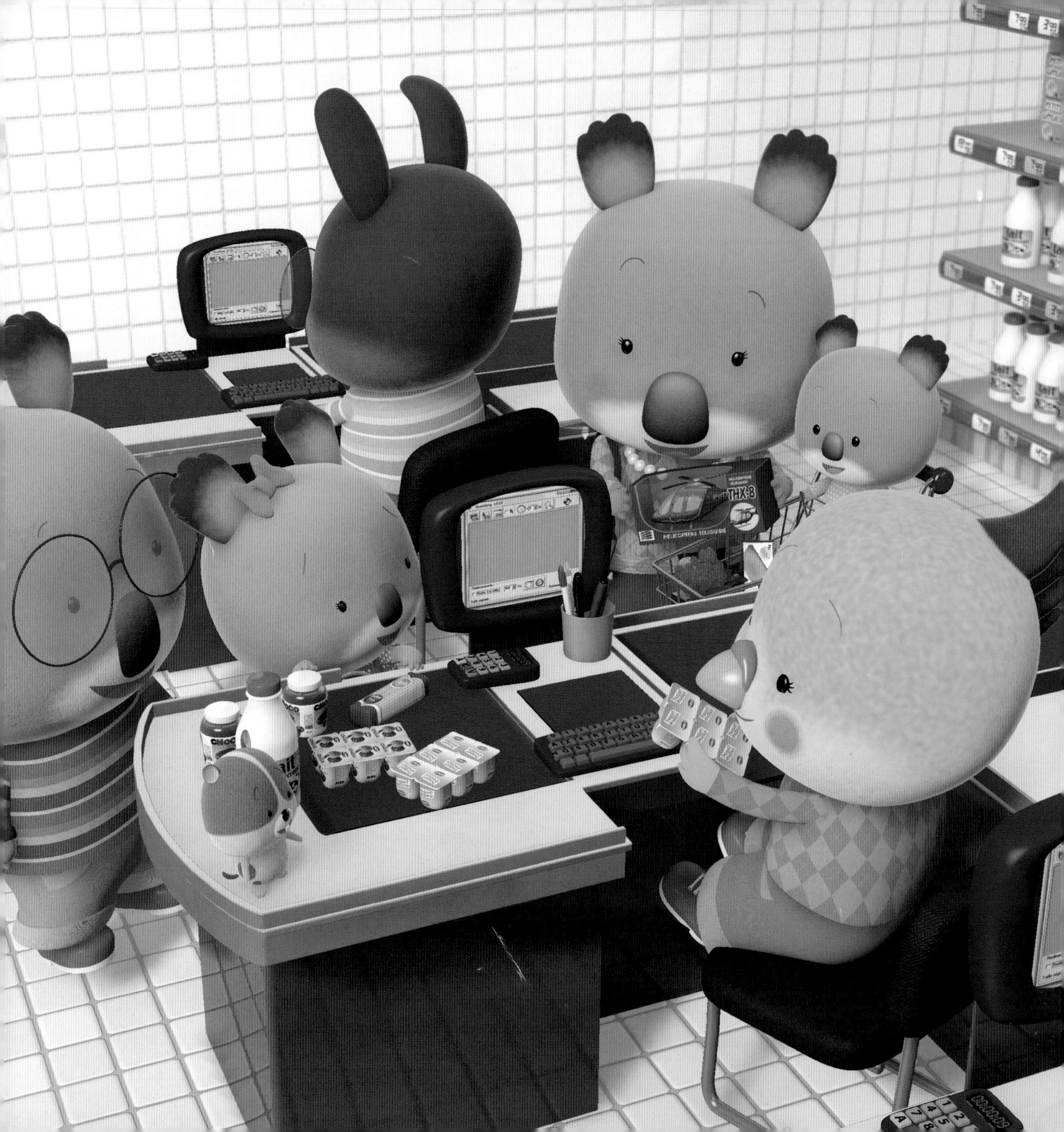
THX-8
HELICOPTERE TELEGUIDE

Podczas wykładania zakupów przed kasą rodzice zauważają leżące na dnie wózka sprawunki córeczki: słodycze i tajemnicze pudełko.

– Będziesz się bawić helikopterem? – dziwi się mama.

– To nie dla mnie, tylko dla braciszka, na urodziny – wyjaśnia misia. – Wybrałam ten helikopter, bo sam lata, na pewno mu się spodoba.

– No, no… – Tato z podziwem kręci głową. Jak miło, że misia pamiętała o pierwszych urodzinach braciszka!

pani kasjerka

helikopter

jogurty

Ilustracje **Alexis Nesme**
Tekst **Nadia Berkane**
Tłumaczenie **Elżbieta Krzak-Ćwiertnia**
Opracowanie literackie **Patrycja Zarawska**

ISBN 978-83-7167-850-9

Wydawnictwo DEBIT sp. j.
43-300 Bielsko-Biała
ul. M. Gorkiego 20
tel. 33 810 08 20
e-mail: handlowy.debit@onet.pl

Zapraszamy do księgarni internetowej
na naszej stronie:
www.wydawnictwo-debit.pl